Le faucon pèlerin

ISBN 0-920775-96-9

Imprimé au Canada sur du papier recyclé
A B C D E F

Pour nous avoir autorisé à utiliser leurs
photos, nous remercions : Frans
Lanting/Minden Pictures, pp. 4/5, 27; Stephen
J. Krasemann/DRK Photo, p. 11; Brian
Parker/Tom Stack & Assoc., pp. 12/13, 31; P.
McLain/VIREO, p. 16; Wendy Shattil/Bob
Rozinski/Tom Stack & Assoc., p. 17; Tom
Brakefield/Bruce Coleman Inc., pp. 18/19;
Thomas Kitchin, p. 19; Francisco Erize/Bruce
Coleman Inc., pp. 20/21; Animals
Animals/Ron Willocks, p. 24; Animals
Animals/Breck P. Kent, p. 25; Fred J.
Alson/Bruce Coleman Inc., p. 26; Jeff Foott,
p. 28; Robert Galbraith/Valan, p. 29; Roy
Morsch/Bruce Coleman Inc., p. 29; F.K.
Schleicher/VIREO, pp. 30/31.

Nous tenons également à remercier Ian
Ritchie, Raptor Research Centre, Université
McGill, d'avoir participé à la préparation de
ce livre.

Conception : Word & Image Design Studio,
Toronto

Illustrations (silhouettes) : Dave McKay

Recherches : Katherine Farris

Photo de couverture : Stephen J.
Krasemann/DRK Photo

LES ANIMAUX DU CANADA EN VOIE DE DISPARITION

Le faucon pèlerin

Préparé par OWL Magazine

• • • • • •

Texte: Sylvia Funston
Illustrations: Olena Kassian
Traduction: Anne Minguet-Patocka

OWL

Greey de Pencier Books

Introduction

Les scientifiques nous disent que certains animaux sont en voie de disparition pour nous mettre en garde contre un danger : si nous ne prenons pas un soin particulier de ces animaux, leur disparition totale ne saurait tarder.

Beaucoup d'animaux sont en voie de disparition parce que les êtres humains ont accaparé leur territoire naturel. D'autres le sont car on les chasse en trop grand nombre. D'autres encore sont menacés d'extinction en raison de la pollution qui les empoisonne.

Vous découvrirez dans ce livre comment vit le faucon pèlerin. Vous comprendrez pourquoi il fait partie des espèces en voie de disparition et trouverez les mesures mises en oeuvre et celles que vous pouvez prendre pour l'aider à survivre pendant encore des siècles.

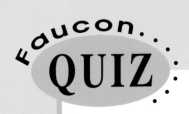

Faucon...

QUIZ

Savez-vous tout sur le faucon pèlerin? Vérifiez-le en répondant à ce petit questionnaire.
Réponses à la page 32.

1. Chez les faucons pèlerins, la femelle est plus grosse que le mâle. Mais est-elle aussi grosse :
a. qu'un moineau
b. qu'un corbeau
c. qu'une autruche?

2. Pour inciter sa compagne à inspecter un nid, qu'est-ce qu'un faucon mâle y dépose à son intention?
a. des cailloux brillants
b. des plumes
c. de la nourriture

3. Combien d'oeufs pond la femelle? Indice : Elle pond un oeuf tous les deux jours pendant une semaine.
a. 1
b. 4
c. 7

4. À son retour au printemps, il arrive au faucon pèlerin de trouver dans son nid préféré :
a. une famille de corbeaux
b. une famille de ratons laveurs
c. une famille de chèvres des montagnes

5. Avant de rapporter sa proie au nid, le faucon pèlerin :
a. la lave dans un ruisseau
b. va se poser sur un perchoir proche et la plume
c. l'entrepose quelque part pendant quelques jours pour qu'elle soit plus tendre.

6. En général, un faucon pèlerin assomme sa proie dans les airs en la frappant avec :
a. sa tête
b. ses pieds
c. sa poitrine.

7. Que signifie le mot «pèlerin»?
a. une petite pelle
b. un manteau
c. un vagabond

Tu veux être ma chérie?

Chez les faucons pèlerins, le mâle et la femelle s'accouplent pour la vie, mais en général ils ne passent pas l'hiver ensemble. Lorsqu'ils se retrouvent au printemps, le mâle fait la cour à la femelle comme s'ils se rencontraient pour la première fois. Pour la séduire, le mâle fait étalage de ses talents en vol.

Il offre aussi à sa compagne des aliments et va même jusqu'à lui donner la becquée dans les airs. Ensuite, les amoureux se lissent mutuellement les plumes, se mordillent les orteils, se poursuivent pour s'amuser, grattent pendant quelque temps le sol poussiéreux ou se font la révérence et gloussent. Dans l'intimité de leur nid, ils se blottissent l'un contre l'autre.

Dans les villes, les faucons pèlerins passent l'année ensemble.

Les fauconneaux

Avec ses pattes roses et trapues, ses yeux qui ne voient pas et son duvet en désordre, ce faucon pèlerin nouveau-né a vraiment l'air impuissant. Mais il va rapidement sécher et se transformer en une boule de duvet soyeuse à souhait.

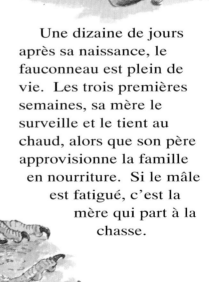

Une dizaine de jours après sa naissance, le fauconneau est plein de vie. Les trois premières semaines, sa mère le surveille et le tient au chaud, alors que son père approvisionne la famille en nourriture. Si le mâle est fatigué, c'est la mère qui part à la chasse.

Pendant la croissance de leurs plumes, les petits ont l'air de pelotes d'épingles.

Leur duvet soyeux garde les fauconneaux au chaud, mais pour voler ils ont besoin d'un autre genre de plumes. Au cours des quelques semaines suivantes, des plumes brunes et lisses remplacent ce duvet moelleux.

La croissance

Comme ce faucon pèlerin à moitié développé a l'air drôle dans son manteau disparate et ses pantalons bouffants en duvet! Désormais, il bat tous les jours des ailes pour leur donner de l'exercice et joue à la chasse avec ses compagnons de nid.

Le moment est enfin venu de voler. Le fauconneau jette des regards nerveux en bas de la falaise et bat des ailes. Le courant d'air ascendant les gonfle et dans un bond à couper le souffle, l'oisillon s'élance dans le ciel d'un bleu limpide.

Pendant plusieurs semaines, le fauconneau regarde ses parents chasser. Quelquefois, son père ou sa mère lâche un oiseau mort dans l'espoir qu'il l'attrapera en vol. L'autre parent descend alors en piqué pour saisir au passage l'oiseau mort au cas où le jeune faucon le rate.

Les fauconneaux gardent leurs plumes mouchetées pendant deux ans.

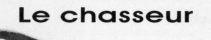

Le chasseur

Soudain, le faucon à l'affût replie les ailes, rentre les pattes et fond sur le canard en vol qu'il a repéré très loin en contrebas. Le faucon pèlerin plonge si rapidement que s'il saisissait le canard dans ses serres, il se romprait les pattes. Le chasseur préfère donc asséner à sa proie un coup avec sa poitrine musclée.

Le canard tombe, inconscient. Le faucon monte alors à pic pour ralentir, puis il se retourne, descend en piqué, freine avec ses ailes et sa queue et attrape sa proie au passage. Comme le canard est trop lourd pour le transporter jusqu'à un perchoir, le faucon se pose avec lui sur le sol. Là, il tue sa proie d'un coup de son bec pointu et crochu. Puis, il la plume.

Le chasseur du monde le plus rapide

Grâce à son regard perçant, ce faucon pèlerin adulte a vu quelque chose. À 1 000 mètres d'altitude (environ 1 000 verges), il a repéré un pigeon posé sur le sol.

Dès que le pigeon s'envole, le faucon descend en piqué. Sa vitesse à l'attaque, soit plus de 300 kilomètres à l'heure (186 milles à l'heure), suffit à tuer le pigeon sur le coup.

À l'approche d'un faucon, un pigeon réussit souvent à s'enfuir.

Les faucons pèlerins sont remarquables

▶ Un aviateur volait à 280 kilomètres à l'heure (173 milles à l'heure) dans son petit avion quand, à sa grande surprise, un faucon pèlerin le dépassa!

▶ Il arrive qu'un oisillon se trouvant dans son nid accroché à flanc de falaise soit emporté par le vent avant de pouvoir voler. S'il atterrit sain et sauf sur une corniche en contrebas, sa mère le nourrit en lui lançant de la nourriture.

▶ Si un oiseau s'approche du nid d'un faucon pèlerin, il se retrouve très vite en train de se battre dans les airs avec celui-ci.

► Quelquefois, les faucons pèlerins foncent comme des bombes sur les pigeons, mais ne les touchent pas. Font-ils cela pour perfectionner leurs techniques de chasse ou seulement pour s'amuser?

► La vue d'un faucon pèlerin est six fois plus perçante que la nôtre! On cite le cas d'un faucon qui a vu un mouchoir blanc qui flottait à une distance de 1,5 kilomètre (presque 1 mille).

Les faucons pèlerins aiment se baigner tous les jours.

Où vivent les faucons pèlerins?

Au printemps, les faucons pèlerins viennent nicher sur les corniches de falaises abruptes. Leurs nids ne sont que de simples trous qu'ils creusent dans le sol ou le gravier. Dans les villes, les faucons nichent sur les corniches des édifices.

Les faucons pèlerins nichent plus haut que la cime des arbres pour protéger leurs petits contre leurs ennemis.

Territoire d'été

Territoire annuel

Territoire d'hiver

À l'automne, les faucons pèlerins prennent la route du sud, certains se rendent jusqu'en Amérique du Sud. Ils empruntent le même itinéraire que les oiseaux dont ils se nourrissent. D'autres faucons ne quittent pas la ville, cat les petits oiseaux y abondent.

Le faucon pèlerin
vu de près

▶ Le faucon pèlerin déploie ou
   replie bien sa queue pour
   ralentir ou garder son
   équilibre durant un plongeon.

▶ Le faucon pèlerin freine aussi en
   étalant ses plumes rémiges, dont
   un «pouce» couvert de
   plumes qu'il peut
   brandir sur le rebord
   antérieur de
   chaque aile.

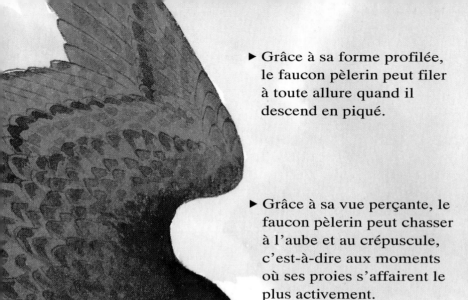

► Grâce à sa forme profilée,
le faucon pèlerin peut filer
à toute allure quand il
descend en piqué.

► Grâce à sa vue perçante, le
faucon pèlerin peut chasser
à l'aube et au crépuscule,
c'est-à-dire aux moments
où ses proies s'affairent le
plus activement.

► La bande noire sous l'oeil du
faucon absorbe la lumière et réduit
l'éblouissement, ce qui permet à
l'oiseau de mieux voir. Les joueurs
de football se sont d'ailleurs
inspirés de l'idée.

En voie de disparition. Pourquoi?

Le poison et les faucons pèlerins

Au début des années 1970, les faucons pèlerins d'Amérique du Nord avaient un problème. La coquille de leurs oeufs était si fine qu'elle se cassait sous le poids des parents à la couvaison. Le responsable : l'insecticide DDT. Chaque fois qu'un faucon pèlerin se nourrissait d'un oiseau qui avait mangé un insecte ou un végétal contenant de ce produit chimique, il en avalait aussi une dose.

Les êtres humains et les faucons pèlerins

Les êtres humains ont chassé les faucons pèlerins de leur milieu naturel en accaparant des étendues sauvages pour construire des villes et des routes et exploiter des terres. Ils les ont dérangés en escaladant les falaises sur lesquelles ils nichent. De plus, ils les ont empêchés d'élever leurs petits en ramassant leurs oeufs.

Le DDT a fait de tels ravages parmi les faucons pèlerins qu'il a fallu prêter davantage attention à l'environnement.

25

Que fait-on à ce propos?

En 1970, un biologiste canadien, Richard Fyfe, a rassemblé douze faucons pèlerins et a installé à leur intention des endroits où ils pourraient nicher dans sa ferme en Alberta. Fyfe voulait sauver les faucons en les obligeant à pondre plus d'oeufs qu'à l'état sauvage. Si on enlève les oeufs du nid dès la ponte, la femelle continue de pondre — quinze oeufs n'étant pas inhabituel! La couvaison se fait dans un incubateur et des êtres humains élèvent les fauconneaux.

Les faucons sauvages n'élèvent pas plus de quatre petits.

Une «maman faucon» donne la becquée à son petit affamé.

Le gouvernement canadien trouva l'idée de Fyfe intéressante et établit des centres d'élevage pouvant accueillir cent faucons pèlerins à Wainwright en Alberta. De plus, les gouvernements canadien et américain ont interdit l'utilisation du DDT et du DDE.

Depuis, des centaines de faucons pèlerins en provenance de Wainwright ont été relâchés, surtout dans les grandes villes.

Retour à la nature

On installe certains fauconneaux qui ont été élevés par des êtres humains dans des cages d'élevage à flanc de falaise. Deux biologistes déposent de la nourriture dans les cages jusqu'à ce que les oiseaux puissent chasser.

Dans d'autres cas, on glisse les oisillons dans le nid de faucons pèlerins sauvages qui élèvent moins de quatre petits. Tous les petits doivent avoir le même âge, soit moins de quatre semaines, et un duvet suffisamment garni pour être en mesure de survivre une nuit tout seuls. Il arrive que les parents se tiennent à l'écart des nouveaux venus pendant quelque temps après la visite d'êtres humains.

En ville, le toit d'un immeuble l'endroit parfait où installer une cage d'élevage.

Vivre dans une grande ville

On a relâché avec succès des faucons pèlerins élevés en captivité dans de nombreuses villes nord-américaines.

Dans les villes, les faucons pèlerins trouvent beaucoup d'oiseaux à manger et de corniches élevées où nicher.

À la rescousse des faucons

Les amateurs de fauconnerie dressent des faucons : ils leur apprennent à chasser et à rapporter les proies. Ce sport, qui a vu le jour en Chine voilà plus de trois siècles, est encore pratiqué dans de nombreux pays.

Les fauconneaux ont du mal à survivre dans la nature la première année de leur vie. Des fauconniers canadiens se portent donc volontaires pour les faire voler et les aider à survivre.

À l'Université de la Saskatchewan, on confie de jeunes faucons pèlerins à des fauconniers. Ces derniers font voler les oiseaux tous les jours, pendant au moins un an. Ces exercices quotidiens leur permettent de prendre des forces et d'apprendre à chasser.

Ce chasseur talentueux, qui a trois ans, est prêt à fonder sa propre famille.

Que pouvez-vous faire?

► Faites autant de recherches que possible sur toutes les espèces en voie de disparition et sur les mesures prises pour les sauver. Racontez ensuite à d'autres personnes ce que vous avez découvert. Consultez ces centres de ressources :

1. La bibliothèque de l'école et la bibliothèque municipale.

2. La Fédération canadienne de la faune, 2740 Queensview Drive, Ottawa (Ontario) K2B 1A2.

3. Le Ministère fédéral de l'Environnement, Terrasse de la Chaudière, 28e étage, 10, rue Wellington, Hull (Québec) K1A 0H3 (pour obtenir des renseignements sur le faucon pèlerin).

► Participez à la sauvegarde de l'environnement. Joignez-vous au programme de prix du HOOT Club des magazines OWL et Chickadee. Écrivez à OWL Magazine, 56 The Esplanade, Suite 306 Toronto (Ontario) M5E 1A7.

Réponses au quiz

1-b, 2-c, 3-b, 4-a, 5-b, 6-c, 7-c